# Syra sōla

a Latin Novella
by Lance Piantaggini

ISBN: 172504224X
ISBN-13: 978-1725042247

# Index Capitulōrum (et Cētera)

# Praefātiō

*Pīsō Ille Poētulus* was the first Latin novella in the collection that has become known as the "Pisoverse." Pīsō was published in November of 2016, written with 108 unique words (excluding names, different forms of words, and meaning established within the text). Since then, new characters have been introduced in other novellas ranging from 20 to 104 unique words. Syra has appeared briefly in *Rūfus et gladiātōrēs: Student FVR Reader*, as well as in *Drūsilla et convīvium magārum.* Syra now has her own story in this latest novella of 29 unique words, and is about 1400 total words in length.

Although a low unique word count isn't everything, it's certainly most things when it comes to the beginning student reading Latin. Most available texts, however, are written with far too many words to be read with ease. *Syra sōla* is the latest novella to address this lack of understandable reading material with sheltered (i.e. limited) vocabulary available to beginning Latin students.

Like other recent novellas, *Syra sōla* was written with many "super clear cognates" generated from a shared document (search magisterp.com), accounting for 10 of the 29 unique words! With the low unique word counts, and numerous cognates, the Pisoverse novellas now provide nearly 33,000 total words for the beginning Latin student to read! That's with a vocabulary of just 424 unique words across all current novellas (13)!

Exposing learners to multicultural Rome and beyond, Syra travels to the famous coastal towns of Pompeii and Herculaneum. She encounters several animals from Africa, including arguably the best Latin animal name, *camēlopardalis* (a "giraffe," because it really DOES look like a camel-leopard!). *Don't let that word bog you down; it's pronounced camēēēēloPARRRRdalis, with the accent on the "PAR," and has the rhythm of repeating iambs (i.e. short long short LONG short short). I hope your learners enjoy saying it as much as I do!*

The *Index Verbōrum* is rather comprehensive, with an English equivalent and example phrases from the text found under each vocabulary word.

Meaning is established for every single word form in this novella.

I'd like to thank all the Pisoverse readers requesting more texts for first year Latin students; there could never be too many of these. Just like in *Rūfus et Lūcia: līberī lutulentī*, and *Quīntus et nox horrifica,* I've tried my hand at a bit of drawing. Aside from those two maps, the illustrations by Lauren Aczon provide significant comprehension support for the beginner reading *Syra*. See more of Lauren's artwork on Instagram @leaczon, and/or on her blog, (www.quickeningforce.blogspot.com).

**Magister P**[iantaggini]
Northampton, MA
January 31st, 2019

# I
# Syra sōla

Syra est Rōmāna.

Syra sōla est.

Syra est Rōmāna sōla.

Syra sōla Rōmāna est. sed, Syra amīcōs habet.

amīcī Syrae sunt multī.

Sextus est amīcus Syrae.

Rūfus amīcus
Syrae est.

Quīntus quoque est
amīcus Syrae.

Syra est amīca Sextī, Rūfī, et Quīntī.

Syra amīcōs multōs habet. Syrae placet habēre amīcōs. sed, Syrae quoque placet esse sōlum.

Syrae placet esse sōlum, et Syrae placet esse Rōmānum.

Syrae placet esse sōlum Rōmānum!

# II
# Rōmae

Syra est Rōmae.[1]

Syra vult esse sōla. Syra vult esse sōla, Rōmae.

Syra sōla esse vult, Rōmae. sed, sunt multī Rōmānī, Rōmae—ēheu!

[1] **est Rōmae** *is in Rome*

Syra vult esse sōla in Subūrā. sed, Rōmānī multī sunt in Subūrā.

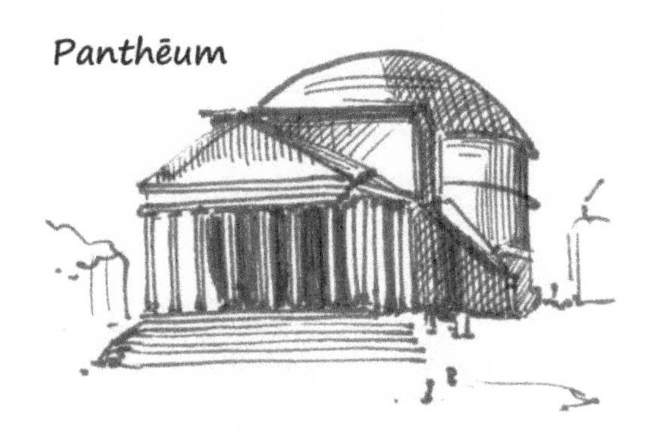


in Templō Panthēō, Syra vult esse sōla...

Templum Iānī

...et Syra vult esse sōla in Templō Iānī.

sunt multī Rōmānī in Templō Panthēō.

Rōmānī multī sunt in Templō Iānī.

Syra vult esse sōla ubīque Rōmae. sed, multī Rōmānī sunt ubīque Rōmae!

Syra impatiēns est.

# III
# domī

Syrae placet esse sōlum ubīque. sed, Rōmānī multī sunt Rōmae.

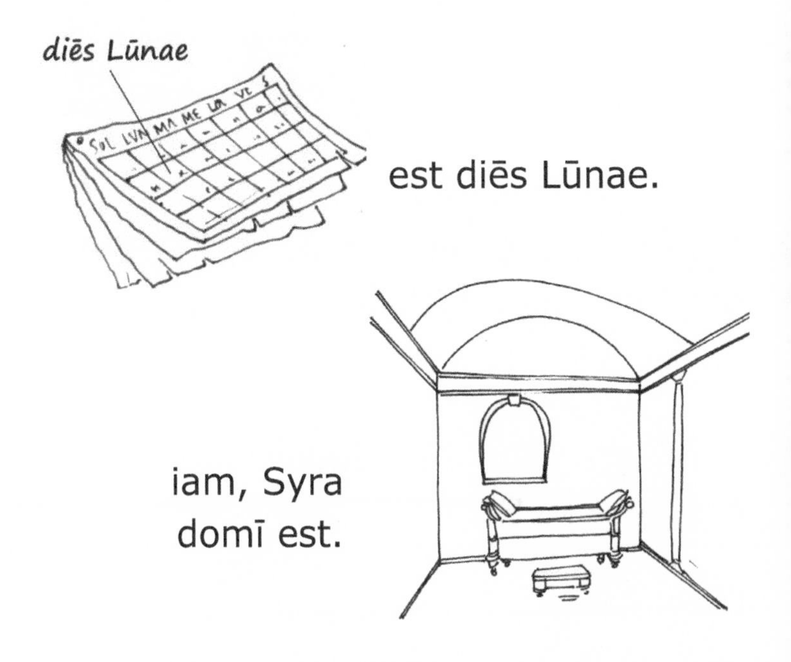


est diēs Lūnae.

iam, Syra domī est.

Syrae placet esse sōlum domī. Syra vult esse sōla domī.

ēheu!

familia Syrae domī est!

Syra sōla esse vult. sed, familia Syrae domī est. Syra familiam ignōrat.

iam, Syra vult īre ad Subūram. Syra vult esse sōla in Subūrā.

# IV
# in Subūrā

Syrae placet esse sōlum, domī. Syra voluit esse sōla, domī. sed, familia domī erat.

Syra voluit īre ad Subūram. iam, Syra in Subūrā est. iam, Syra sōla esse vult.

ēheu!

in Subūrā,
sunt Rōmānī
multī!

sunt nimis multī[1] Rōmānī Rōmae, in Subūrā!

Syra impatiēns iam est. Syra Rōmānōs ignōrāre vult.

[1] **nimis multī** *too many*

Syra vult ignōrāre Rōmānōs, sed Rōmānus furiōsus et impatiēns it in Subūram.

est Terrex.

iam, turba Rōmānōrum[2]
it ad Terregem.

---

[2] **turba Rōmānōrum** *a crowd of Romans*

turba Rōmānōrum vult Terregem habēre convīvium.[3]

Terrex convīvia multa habet. sed, Terrex vult esse sōlus, diēbus Lūnae.

Syrae Terrex nōn placet. Syrae nōn placent turbae Rōmānōrum. Syrae nōn placet Subūra.

---

[3] **habēre convīvium** *to have a dinner party*

*Syra:*
"suntne Rōmānī in Templō Panthēō? suntne Rōmānī in Templō Iānī?
volō esse sōla."

Syra vult īre ad Templum Panthēum.

# V
# in Templīs

Syra voluit esse sōla. sed, nimis multī Rōmānī erant in Subūrā. Syra ad Templum Panthēum īvit.

iam, Syra in Templō Panthēō est, sed...

*Syra:*
"vah![1] Rōmānī sunt in Templō Panthēō! sōla nōn sum. volō esse sōla. volō esssse sōōōōla! suntne multī Rōmānī in Templō Iānī?"

---

[1] **vah!** *Ah!*

Templum Iānī est in Forō Rōmānō.

Syra ad Forum Rōmānum it. Syra impatienter it ad Forum.

iam, Syra in Forō Rōmānō est...

...sed...

ēheu! quoque sunt nimis multī Rōmānī!

Rōmānī multī sunt in Forō. quoque sunt mercātōrēs multī in Forō.

*mercātor:*
"Rōmānula, vīsne habēre animal? habeō animālia."

Syra impatiēns est. Syra mercātōrem impatienter ignōrat.

*mercātor:*
"Rōmānula, vīsne habēre equum? habeō equōs multōs et rārōs."

Syra furiōsa iam est!

*Syra:*
"volō esse sōla! sōōōōla!"

Syra sōla esse vult. sed, sunt nimis multī Rōmānī ubīque Rōmae! iam, Syra domum īre vult.

# VI
# familia

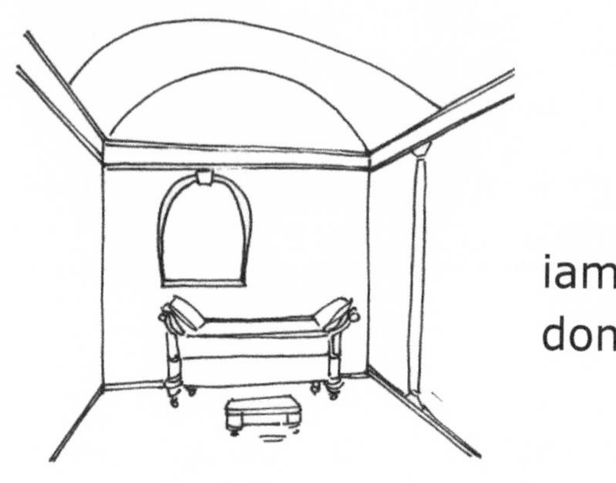

iam, Syra
domī est.

Syrae placet esse sōlum domī, sed...

ēheu! familia Syrae quoque est domī!

*familia:*
"Syra, vīsne īre ad Amphitheātrum Flāvium?"

Amphitheātrum Flāvium

Syra familiam ignōrat.

Syra vult esse sōla. sed, familia nōn ignōrat Syram.

*familia:*
"Syra, nōn vīs īre ad Amphitheātrum Flāvium?!"

*Syra, impatiēns:*
"vah! Rōmānī multī eunt ad Amphitheātrum Flāvium. Rōmānī eunt gregātim[1] ad Amphitheātrum Flāvium!
nimis multī Rōmānī nōn placent."[2]

*familia:*
"Syra, vīsne īre ad convīvium? est convīvium in domō Quīntī."

---

[1] **eunt gregātim** *go in flocks/herds/swarms*
[2] **nimis multī Rōmānī nōn placent** *too many Romans aren't pleasing (i.e. I don't like too many Romans)*

*Syra:*
"convīvium?! conVĪĪĪĪvium?! vah! nimis multī Rōmānī eunt ad convīvia. convīvia nōn placent. Rōmānī gregātim eunt ad Amphitheātrum Flāvium. Rōmānī gregātim quoque eunt ad convīvia. nimis multī Rōmānī sunt, Rōmae! volō esse sōōōōla!"

Syra, furiōsa, domō it.[3]

[3] **domō it** *goes away from the house*

# VII
# amīcī

est diēs Veneris.

diē Lūnae, Syra voluit esse sōla.

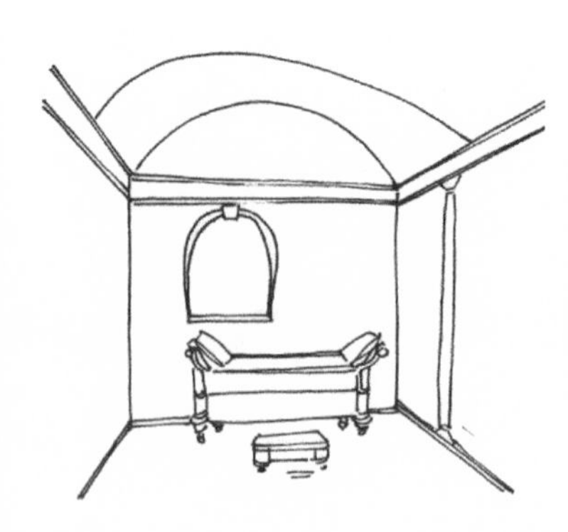

Syra sōla esse voluit. sed, familia domī erat.

Syra voluit esse sōla, Rōmae. sed, Rōmānī multī erant in Subūrā.

nimis multī Rōmānī quoque erant in Templō Panthēō...

...et nimis multī Rōmānī erant in Templō Iānī!

iam, Syra est in Forō Rōmānō.

amīcī Syrae quoque sunt in Forō.

*Quīntus, Sextus, et Rūfus:*

"Syra!"

Syra furiōsa est.

Syra est furiōsa. sed, Syra nōn vult ignōrāre amīcōs. Syrae placent amīcī.

*Syra:*
"amīcī, sōla nōn sum.
sed, volō esse sōla."

*Quīntus:*
"Syra, in Forō sumus! Rōmānī multī sunt in Forō. Rōmānī eunt ad Forum, gregātim. in Forō, iam est turba Rōmānōrum!"

*Sextus:*
"Syra, turba ēnormis est!
nōn eris sōla in Forō. ī...ī...
ī ad Templum Iānī![1] Rōmānī
eunt ad Templum Iānī, sed nōn multī."

---

[1] **ī ad Templum!** *Go to the temple!*

*Syra:*

"diē Lūnae, eram in Templō Iānī. erat turba ēnormis in Templō Iānī! sunt nimis multī Rōmānī ubīque Rōmae! amīcī, volō esse sōla. volōōōō esssssssse sōōōōōōōōōla!"

*Rūfus:*

"Syra, ī...ī...ī Pompēiōs! Rōmānī eunt Pompēiōs, sed nōn multī. Rōmānī nōn gregātim eunt Pompēiōs."

*Syra...*

*Rōmānī nōn gregātim eunt Pompēiōs? nōn erit turba Rōmānōrum Pompēiīs?*

iam, Syra furiōsa nōn est.

*Quīntus:*
"Rūfe, Rōmānī *'nōn'* gregātim eunt Pompēiōs?! Rūfe, Rōmānīs placet ōtium.[2] Rōmānī multī Pompēiīs erunt. erunt multī Rōmānī ōtiōsī Pompēiīs."

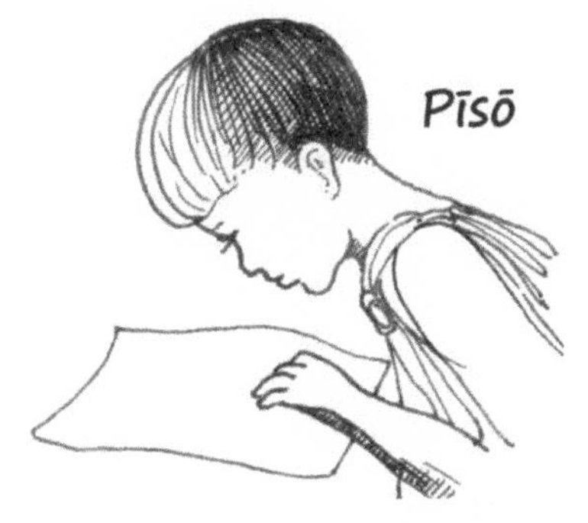


iam, Pīsō quoque est in Forō.

*Pīsō:*
"Syra, ōtium placet! īvī Pompēiōs. rārum est esse[3] sōlum Rōmae. eram sōlus Pompēiīs. eram ōtiōsus Pompēiīs. eram sōlus et ōtiōsus Pompēiīs!"

---

[2] **Rōmānīs placet ōtium** *Romans like leisure, free time*
[3] **rārum est esse** *it's rare to be*

*Syra...*
*ōtium placet? Pīsō ōtiōsus erat Pompēiīs. Pīsō sōlus erat Pompēiīs. volō esse ōtiōsa et sōla...Pompēiīs!*

*Sextus:*
"Syra, erit ēnormis turba Rōmānōrum ōtiōsōrum Pompēiīs! nōn placēbit Pompēiīs."[4]

Syra ignōrat amīcōs, Sextum et Quīntum. iam, Syra ad mercātōrem it.

*Syra:*
"mercātor, volō īre Pompēiōs. volō equum habēre."

---

[4] **nōn placēbit Pompēiīs** *it will not be pleasing in Pompeii*

*mercātor:*
"Rōmānula, vīsne habēre equum rārum?"

*Syra:*
"equī rārī mordent!"[5]

*mercātor:*
"nōn vīs habēre equum rārum. sed, vīsne habēre equum Hispānicum? habeō equum Hispānicum."

[5] **mordent** *bite*

*Syra:*
"volō īre Pompēiōs.
volō habēre equum
Hispānicum!"

*mercātor:*
"placet!"[6]

Syra iam habet equum Hispānicum. Syra it Pompēiōs equō![7]

---

[6] **placet!** *It's pleasing! (i.e. I like it!)*
[7] **it Pompēiōs equō** *goes to Pompeii on a horse*

# VIII
# Pompēiīs

est diēs Sāturnī.

iam, Syra Pompēiīs est.

Syra est Pompēiīs, sed...

ēheu! est ēnormis turba Rōmānōrum, Pompēiīs!

Syra furiōsissima est!

*Syra...*
*vah! sunt nimis multī Rōmānī! Rōmānīs PLACET ōtium,[1] Rūfe...Fūfe![2]*

equō nōn placet turba.
equus vult īre Rōmam.
sed, Syra furiōsissima ignōrat equum.

---

[1] **Rōmānīs *PLACET* ōtium** *Romans* DO LIKE *free time*
[2] **Fūfe** *mean name for Rufus, from* fūfae *( = gross!)*

*Syra, furiōsissima:*
"sunt multī Rōmānī ōtiōsī, Pompēiīs!
sōla nōn sum! sōla nōn erō! ēheu!"

equō nōn placet Syra furiōsissima.
equus nimis impatiēns est.

ēheu!
equus Syram mordet!

*Syra, furiōsissima et morsa:*[3]
"vah! equī rārī mordent.
equī Hispānicī quoque mordent!
sōōōōla esssssssse volōōōōōōōōō!"

---

[3] **morsa** *bitten*

est Rōmānus ōtiōsus. Rōmānō ōtiōsō quoque nōn placet Syra furiōsissima. sed, Rōmānus ōtiōsus nōn mordet Syram.

*Rōmānus ōtiōsus:*
"Rōmānula, vīs esse sōla? ī Herculāneum![4] Rōmānī quoque eunt Herculāneum, sed nōn multī. Rōmānī nōn gregātim eunt Herculāneum."

*Syra...*
*Rōmānī nōn gregātim eunt Herculāneum? nōn erit turba Rōmānōrum Herculāneī?*

[4] **ī Herculāneum!** *Go to Herculaneum! (i.e. the coastal resort town)*

iam, Syra furiōsissima nōn est. Syra sōla esse vult. Syra vult esse sōla, Herculāneī.

Syra Herculāneum it, sed nōn equō it.

Syrae iam nōn placent equī!

# IX
# Herculāneī

iam, Syra Herculāneī est. Herculāneī, sunt Rōmānī, sed nōn multī.

Syra furiōsa nōn est.

Syra impatiēns nōn est.

Herculāneī, Syra ōtiōsa est. iam, Syra quoque vult esse sōla, sed...

...sunt...animālia?!

sunt animālia multa, Herculāneī. Herculāneī, quoque est mercātor. sed, mercātor equōs nōn habet. Syrae iam nōn placent equī.

*mercātor:*
"Rōmānula, vīsne animal habēre? Rōmānī ōtiōsī animālia habent!"

*Syra...*
*ōtiōsa iam sum. voluī esse sōla...sed...iam quoque volō habēre animal.*

mercātor habet animālia multa et rāra.

Syrae placent animālia!

Syra sōla esse vult. sed, Syra nōn vult ignōrāre mercātōrem. Syra quoque animal habēre vult.

*mercātor:*
"Rōmānula, vīsne animal habēre? habeō animālia rāra!"

*Syra:*
"habēs animālia...rāra?"

*mercātor:*
"habeō animālia Āfricāna! animālia sunt rāra in Italiā, sed nōn rāra sunt in Āfricā. in Āfricā, animālia ubīque eunt gregātim. sunt turbae animālium in Āfricā. sed, in Italiā, animālia sunt rāra. habeō elephantum! vīsne habēre elephantum, animal rārum et ēnorme?"

est elephantus, sed Syra nōn vult elephantum!

*Syra:*
"mercātor, elephantī nōn placent. elephantī nimis rārī sunt."

mercātor Syram ignōrat.

*mercātor:*
"habeō rhīnocerōtem Āfricānum. rhīnoceros est animal rārissimum! vīsne habēre rhīnocerōtem?"

mercātor rhīnocerōtem habet. sed, Syra rhīnocerōtem nōn vult! elephantī et rhīnocerōtēs ēnormēs sunt. Syrae nōn placent animālia ēnormia.

*Syra:*
"mercātor, animālia ēnormia nōn placent."

mercātor iam impatiēns est.

*mercātor:*
"vah! habeō...habeō... habeō animal nōn ēnorme. quoque, animālī placet[1] esse sōlum."

---

[1] **quoque animālī placet** *also, the animal likes*

*Syra...*
*animālī placet esse sōlum?!*
*quoque volō esse sōla.*
*animal placēbit!*

animal est camēlopardalis![2]

---

[2] **camēlopardalis** *"camel-leopard" (i.e. giraffe)*

# X
# camēlopardalis

*mercātor:*
"animal camēlopardalis
nōn est camēlus..."

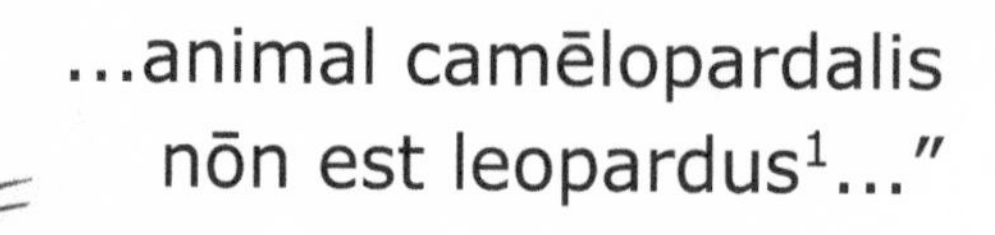

...animal camēlopardalis nōn est leopardus[1]..."

"...sed, camēlopardalis rārissimum animal in Italiā est."

Syrae placent camēlopardalēs.

*Syra:* "mercātor, estne *rārissimum*?!"

mercātor impatienter Syram ignōrat.

---

[1] **leopardus** *leopard (i.e. leō + pardus, a "lion-panther"). Thus,* camēlopardalis *is a "camel-lion-panther!"*

*mercātor:*
"Rōmānula, vīsne habēre animal?!"

*Syra:*
"mercātor, volō habēre camēlopardalem!"

Syra camēlopardalem habēre vult.
Syra ad camēlopardalem it.
sed, camēlopardalis quoque vult esse sōla.

camēlopardalis Syram ignōrat.

Syra iam Rōmam īre vult.
Syra vult īre Rōmam camēlopardale.[2]

---

[2] **īre camēlopardale** *to go on a giraffe*

Syra ad camēlopardalem it. sed camēlopardalis furiōsa iam est!

ēheu! camēlopardalis Syram mordet!

camēlopardalis Syram mordet et mordet et mordet!

*Syra, furiōsa et morsa:*
"vahhhhhhhhhh! camēlopardalis nimis mordet!"

Syra iam camēlopardalem ignōrat. Syra iam nōn vult īre Rōmam camēlopardale.

Syra vult īre Rōmam...sōla.

# Index Verbōrum

## A, C

**ad** *towards, to*

**Āfricā** *in Africa*
- in Āfricā *in Africa*

**Āfricāna** *African (more than one)*
- animālia Āfricāna *African animals*

**Āfricānum** *African*
- rhīnocerōtem Āfricānum *African rhinoceros*

**amīca** *friend*
- Syra est amīca *Syra is a friend*

**amīcī** *friends*
- amīcī Syrae *Syra's friends*

**amīcōs** *friends*
- amīcōs habet *has friends*
- ignōrāre amīcōs *to ignore friends*

**amīcus** *friend*
- amīcus Syrae *Syra's friend*

**Amphitheātrum Flāvium** *the Colosseum*
- īre ad Amphitheātrum Flāvium *to go to the Colosseum*

**animal** *animal*
- habēre animal *to have an animal*

**animālī** *animal*
- animālī placet *the animal likes*

**animālia** *animals*
- habēre animālia *to have animals*

**animālium** *of animals*
- turbae animālium *great number of animals*

**camēlopardale** *"camel-leopard" (i.e. giraffe!)*
- īre camēlopardale *to go by way of giraffe*

**camēlopardalem** *giraffe*
- habēre camēlopardalem *to have a giraffe*
- ad camēlopardalem *towards the giraffe*

**camēlopardalēs** *giraffes*

**camēlopardalis** *giraffe*

**camēlus** *camel*

**convīvia** *dinner parties*
- habēre convīvia *to have dinner parties*

eunt ad convīvia *they go to dinner parties*
convīvia nōn placent *dinner parties aren't pleasing*
**convīvium** *dinner party*
habēre convīvium *to have a dinner party*

# D, E

**diē** *on the day*
diē Lūnae *on the day of the Moon (i.e. on Monday)*
**diēbus** *on the days*
diēbus Lūnae *on Mondays*
**diēs** *day*
diēs Lūnae *Monday*
diēs Sāturnī *day of Saturn (i.e. Saturday)*
diēs Veneris *day of Venus (i.e. Friday)*
**domī** *at home*
**domō** *house*
in domō Quīntī *in Quintus' house*
domō it *goes away from the house*
**domum** *to home*
īre domum *to go home*
**ēheu!** *Oh no!*
**elephantī** *elephants*
elephantī nōn placent *elephants aren't pleasing*
**elephantum** *elephant*
habeō elephantum *I have an elephant*
nōn vult elephantum *doesn't want an elephant*
**elephantus** *elephant*
**ēnorme** *enormous*
animal ēnorme *enormous animal*
nōn nimis ēnorme *not too enormous*
**ēnormēs** *enormous (more than one)*
elephantī ēnormēs *enormous elephants*
rhīnocerōtēs ēnormēs *enormous rhinoceroses*
**ēnormia** *enormous (more than one)*
animālia ēnormia *enormous animals*
**ēnormis** *enormous*
turba ēnormis *enormous crowd*
**equī** *horses*
equī mordent *horses bite*

nōn placent equī *doesn't like horses*
**equō** *horse*
it Pompēiōs equō *goes to Pompeii on horse*
equō nōn placet *the horse doesn't like*
**equōs** *horses*
habēre equōs *to have horses*
**equum** *horse*
habēre equum *to have a horse*
equum ignōrat *ignores the horse*
**equus** *horse*
equus mordet *the horse bites*
**eram** *I was*
**erant** *(more than one) were*
**erat** *was*
**eris** *you will be*
**erit** *will be*
**erō** *I will be*
**erunt** *(more than one) will be*
**esse** *to be*
esse sōlum *to be alone*
rārum est esse *it's rare to be*
**est** *is*
**et** *and*
**eunt** *(more than one) go*
gregātim eunt *they go in swarms*
eunt Pompēiōs *they go to Pompeii*
eunt Herculāneum *they go to Herculaneum*

# F

**familia** *family*
familia Syrae *Syra's family*
**familiam** *family*
familiam ignōrat *ignores the family*
**Forō Rōmānō** *Forum, Rome's marketplace*
in Forō esse *to be in the Roman Forum*
**Forum Rōmānum** *Roman Forum*
ad Forum Rōmānum it *goes to the Roman Forum*
**Fūfe** *a mean name for Rufus, from* fūfae *( = gross!)*

**furiōsa** *furious*
Syra furiōsa *furious Syra*
camēlopardalis furiōsa *furious giraffe*
**furiōsissima** *really furious*
Syra furiōsissima *really furious Syra*
**furiōsus** *furious*
Rōmānus furiōsus *furious Roman*

# G, H

**gregātim** *in flocks/herds/swarms (i.e. as a large group)*
gregātim eunt *they go in swarms*
**habeō** *I have*
habeō animālia *I have animals*
habeō equōs *I have horses*
habeō elephantum *I have an elephant*
habeō rhīnocerōtem *I have a rhinoceros*
**habent** *(more than one) have*
animālia habent *they have animals*
**habēre** *to have*
habēre amīcōs *to have friends*
habēre convīvium *to have a dinner party*
habēre animal *to have an animal*
habēre equum *to have a horse*
habēre elephantum *to have an elephant*
habēre camēlopardalem *to have a giraffe*
**habēs** *you have*
habēs animālia *you have animals*
**habet** *has*
amīcōs habet *has friends*
convīvia habet *has dinner parties*
habet rhīnocerōtem *has a rhinoceros*
**Herculāneī** *in Herculaneum, coastal town smaller than Pompeii*
nōn erit Herculāneī *won't be in Herculaneum*
**Herculāneum** *Herculaneum*
īre Herculāneum *to go to Herculaneum*
**Hispānicī** *Hispanic (i.e. from Spain, Spanish) (more than one)*
equī Hispānicī *Spanish horses*
**Hispānicum** *Spanish*
equum Hispānicum *Spanish horse*

# I, L

**ī!** *Go!*

ī ad! *Go towards!*
ī Pompēiōs! *Go to Pompeii!*
ī Herculāneum! *Go to Herculaneum!*

**iam** *now*

**ignōrāre** *to ignore*

ignōrāre Rōmānōs *to ignore Romans*
ignōrāre amīcōs *to ignore friends*
ignōrāre mercātōrem *to ignore the merchant*

**ignōrat** *ignores*

familiam ignōrat *ignores the family*
nōn ignōrat Syram *doesn't ignore Syra*
ignōrat amīcōs *ignores friends*
equum ignōrat *ignores the horse*

**impatiēns** *impatient*

Syra impatiēns *impatient Syra*
Rōmānus impatiēns *impatient Roman*
equus impatiēns *an impatient horse*

**impatienter** *impatiently*

**in** *in, into*

**īre** *to go*

īre ad *to go towards*
īre domum *to go home*
īre Rōmam *to go to Rome*

**it** *goes*

it in *goes into*
domō it *goes away from the house*
equō it *goes by way of horse*
Herculāneum it *Goes to Herculaneum*

**īvī** *I went*

īvī Pompēiōs *I went to Pompeii*

**īvit** *went*

īvit ad *went to*

**Italiā** *in Italy*

in Italiā *in Italy*

**leopardus** *leopard (i.e. lion-panther)*

# M, N, O

**mercātor** *merchant*

**mercātōrem** *merchant*

mercātōrem ignōrat *ignores the merchant*

ad mercātōrem *towards the merchant*

**mercātōrēs** *merchants*

**mordent** *(more than one) bite*

equī mordent *horses bite*

**mordet** *bites*

mordet Syram *bites Syra*

**morsa** *bitten*

Syra morsa *Syra, bitten*

**multa** *many*

convīvia multa *many dinner parties*

multa animālia *many animals*

**multī** *many*

amīcī multī *many friends*

multī Rōmānī *many Romans*

nimis multī *too many*

multī mercātōrēs *many merchants*

**multōs** *many*

amīcōs multōs *many friends*

equōs multōs et rārōs *many rare horses*

**nimis** *too many, too much*

**nōn** *not, doesn't*

**ōtiōsa** *full of leisure, relaxed*

Syra ōtiōsa *relaxed Syra*

**ōtiōsī** *relaxed (more than one)*

Rōmānī ōtiōsī *relaxed Romans*

**ōtiōsō** *relaxed*

Rōmānō ōtiōsō nōn placet *the relaxed Roman doesn't like*

**ōtiōsōrum** *of relaxed (more than one)*

turba Rōmānōrum ōtiōsōrum *crowd of relaxed Romans*

**ōtiōsus** *relaxed*

eram ōtiōsus *I was relaxed*

Rōmānus ōtiōsus *relaxed Roman*

**ōtium** *leisure, free time, peace, quiet*

placet ōtium *likes free time*

ōtium placet *free time is pleasing*

# P, Q, R

**Pīsō** *Piso, Rufus' brother*

**placēbit** *will be pleasing (i.e. will like)*

nōn placēbit Pompēiīs *it will not be pleasing in Pompeii*

animal placēbit *the animal will be pleasing*

**placent** *are pleasing (i.e. likes more than one thing)*

nōn placent turbae *doesn't like crowds*

Rōmānī nōn placent *Romans aren't pleasing*

convīvia nōn placent *dinner parties aren't pleasing*

placent amīcī *likes friends*

placent animālia *likes animals*

elephantī nōn placent *elephants aren't pleasing*

**placet** *is pleasing (i.e. likes)*

placet habēre *likes to have*

placet esse *likes to be*

placet ōtium *likes free time*

animālī placet *the animal likes*

placet! *It's pleasing! (i.e. I like it!)*

**Pompēiīs** *in Pompeii, city destroyed by erupting Mt. Vesuvius*

turba Pompēiīs *a crowd in Pompeii*

**Pompēiōs** *to Pompeii*

īre Pompēiōs! *to go to Pompeii*

**Quīntī** *Quintus, Syra's friend*

amīca Quīntī *friend of Quintus*

in domō Quīntī *in Quintus' house*

**Quīntum** *Quintus*

ignōrat Quīntum *ignores Quintus*

**Quīntus** *Quintus*

**quoque** *also*

**rāra** *rare (more than one)*

animālia rāra *rare animals*

**rārī** *rare (more than one)*

equī rārī *rare horses*

nimis rārī *too rare*

**rārissimum** *rarest, very rare*

animal rārissimum *rarest/very rare animal*

**rārōs** *rare (more than one)*

equōs multōs et rārōs *many rare horses*

**rārum** *rare*

rārum est esse *it's rare to be*

animal rārum *rare animal*

**rhīnoceros** *rhinoceros*

**rhīnocerōtem** *rhinoceros*

habēre rhīnocerōtem *to have a rhinoceros*

**rhīnocerōtēs** *rhinoceroses*

**Rōmae** *in Rome*

**Rōmam** *to Rome*

**Rōmāna** *Roman*

**Rōmānī** *Romans*

**Rōmānīs** *Romans*

Rōmānīs placet *Romans like*

**Rōmānōrum** *of Romans*

turba Rōmānōrum *crowd of Romans*

**Rōmānōs** *Romans*

ignōrāre Rōmānōs *to ignore Romans*

**Rōmānula** *little Roman*

**Rōmānum** *Roman*

sōlum Rōmānum *alone Roman*

**Rōmānus** *Roman*

**Rūfe** *Rufus, Syra's friend*

"Rūfe,..." *"O, Rufus,..."*

**Rūfī** *Rufus*

amīca Rūfī *friend of Rufus*

**Rūfus** *Rufus*

# S

**sed** *but*

**Sextī** *Sextus, Syra's friend*

amīca Sextī *friend of Sextus*

**Sextum** *Sextus*

ignōrat Sextum *ignores Sextus*

**Sextus** *Sextus*

**sōla** *sole, alone*

Rōmāna sōla *a sole Roman*

**sōlum** *alone*

esse sōlum *to be alone*

sōlum Rōmānum *alone Roman*

**sōlus** *alone*

Terrex sōlus *Terrex, alone*

eram sōlus *I was alone*

**Subūra** *Subura, a crowded area of Rome*

**Subūrā** *Subura*

in Subūrā *in the Subura*

**Subūram** *Subura*

ad Subūram *to the Subura*

in Subūram *into the Subura*

**sum** *I am*

**sumus** *we are*

**sunt** *(more than one) are, there are*

**suntne?** *are there?*

**Syra** *Syra, our Roman girl who wants to be alone*

**Syrae** *Syra*

amīcī Syrae *Syra's friends*

Syrae placet *Syra likes*

familia Syrae *Syra's family*

**Syram** *Syra*

mordet Syram *bites Syra*

Syram ignōrāre *to ignore Syra*

# T, U, V

**Templō Iānī** *Temple of Janus, god of beginnings*

in Templō Iānī *in the Temple of Janus*

**Templō Panthēō** *Pantheon, domed temple with central opening to the sky*

in Templō Panthēō *in the Pantheon*

**Templum Panthēum** *Pantheon*

ad Templum Panthēum *towards the Pantheon*

**Terregem** (ter + rex "*thrice a king*") *a wealthy Roman*

it ad Terregem *goes towards Terrex*

**Terrex** *Terrex*

Terrex nōn placet *doesn't like Terrex*

**turba** *crowd*

turba Rōmānōrum *crowd of Romans*

**turbae** *crowds, great number*

turbae Rōmānōrum *crowds of Romans*

nōn placet turbae *doesn't like crowds*

turbae animālium *great number of animals*

**ubīque** *everywhere*

**vah!** *Ah!*
**vīs** *you want*
nōn vīs īre *you don't want to go*
**vīsne?** *Do you want?*
vīsne habēre? *Do you want to have?*
vīsne īre? *Do you want to go?*
vīsne animal? *Do you want an animal?*
**volō** *I want*
volō esse *I want to be*
volō habēre *I want to have*
**voluit** *wanted*
voluit esse *wanted to be*
voluit īre *wanted to go*
**vult** *wants*
vult esse *wants to be*
vult īre *wants to go*
vult ignōrāre *wants to ignore*
vult Terregem habēre *wants Terrex to have*
nōn vult elephantum *doesn't want an elephant*
nōn vult rhīnocerōtem *doesn't want a rhinoceros*

# Pisoverse Novellas & Resources

### Magister P's Pop-Up Grammar

*Pop-Up Grammar occurs when a student—not teacher—asks about a particular language feature, and the teacher offers a very brief explanation in order to continue communicating (i.e. interpreting, negotiating, and expressing meaning during reading or interacting).*

*Teachers can use this resource to provide such explanations, or students can keep this resource handy for reference when the teacher is unavailable. Characters and details from the Pisoverse novellas are used as examples of the most common of common Latin grammar.*

### Rūfus lutulentus (20 words)

*Was there a time when you or your younger siblings went through some kind of gross phase? Rufus is a Roman boy who likes to be muddy. He wants to be covered in mud everywhere in Rome, but quickly learns from Romans who bathe daily that it's not OK to do so in public. Can Rufus find a way to be muddy?*

### Rūfus et Lūcia: līberī lutulentī (25-70 words)

*Lucia, of Arianne Belzer's Lūcia: puella mala, joins Rufus in this collection of 18 additional stories. This muddy duo has fun in the second of each chapter expansion. Use to provide more exposure to words from the novella, or as a Free Voluntary Reading (FVR) option for all students, independent from Rūfus lutulentus.*

**vah!** *Ah!*

**vīs** *you want*

nōn vīs īre *you don't want to go*

**vīsne?** *Do you want?*

vīsne habēre? *Do you want to have?*

vīsne īre? *Do you want to go?*

vīsne animal? *Do you want an animal?*

**volō** *I want*

volō esse *I want to be*

volō habēre *I want to have*

**voluit** *wanted*

voluit esse *wanted to be*

voluit īre *wanted to go*

**vult** *wants*

vult esse *wants to be*

vult īre *wants to go*

vult ignōrāre *wants to ignore*

vult Terregem habēre *wants Terrex to have*

nōn vult elephantum *doesn't want an elephant*

nōn vult rhīnocerōtem *doesn't want a rhinoceros*

# Pisoverse Novellas & Resources

**Magister P's Pop-Up Grammar**

*Pop-Up Grammar occurs when a student—not teacher—asks about a particular language feature, and the teacher offers a very brief explanation in order to continue communicating (i.e. interpreting, negotiating, and expressing meaning during reading or interacting).*

*Teachers can use this resource to provide such explanations, or students can keep this resource handy for reference when the teacher is unavailable. Characters and details from the Pisoverse novellas are used as examples of the most common of common Latin grammar.*

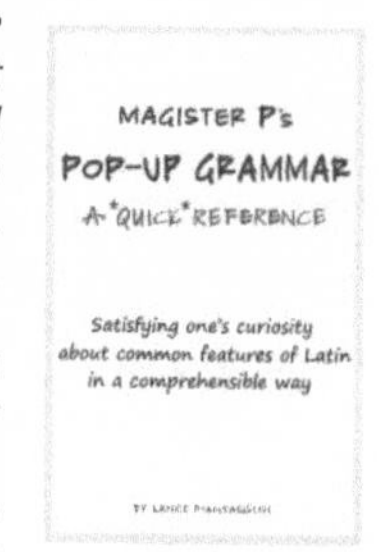

**Rūfus lutulentus**
**(20 words)**

*Was there a time when you or your younger siblings went through some kind of gross phase? Rufus is a Roman boy who likes to be muddy. He wants to be covered in mud everywhere in Rome, but quickly learns from Romans who bathe daily that it's not OK to do so in public. Can Rufus find a way to be muddy?*

**Rūfus et Lūcia: līberī lutulentī**
**(25-70 words)**

*Lucia, of Arianne Belzer's Lūcia: puella mala, joins Rufus in this collection of 18 additional stories. This muddy duo has fun in the second of each chapter expansion. Use to provide more exposure to words from the novella, or as a Free Voluntary Reading (FVR) option for all students, independent from Rūfus lutulentus.*

**Syra sōla**
**(29 words)**

*Syra likes being alone, but there are too many people everywhere in Rome! Taking her friend's advice, Syra travels to the famous coastal towns of Pompeii and Herculaneum in search of solitude. Can she find it?*

**Syra et animālia**
**(35-85 words)**

*In this collection of 20 additional stories, Syra encounters animals around Rome. Use to provide more exposure to words from the novella, or as a Free Voluntary Reading (FVR) option for all students, independent from Syra sōla.*

**Pīsō perturbātus**
**(36 words)**

*Piso minds his Ps and Qs..(and Cs...and Ns and Os) in this alliterative tongue-twisting tale touching upon the Roman concepts of* ōtium and negōtium. *Before Piso becomes a little poet, early signs of an old curmudgeon can be seen.*

**Drūsilla in Subūrā**
**(38 words)**
*Drusilla is a Roman girl who loves to eat, but doesn't know how precious her favorite foods are. In this tale featuring all kinds of Romans living within, and beyond their means, will Drusilla discover how fortunate she is?*

**Rūfus et arma ātra**
**(40 words)**
*Rufus is a Roman boy who excitedly awaits an upcoming fight featuring the best gladiator, Crixaflamma. After a victorious gladiatorial combat in the Flavian Amphitheater (i.e. Colosseum), Crixaflamma's weapons suddenly go missing! Can Rufus help find the missing weapons?*

**Rūfus et gladiātōrēs**
**(49-104 words)**
*This collection of 28 stories adds details to characters and events from Rūfus et arma ātra, as well as additional, new cultural information about Rome, and gladiators. Use to provide more exposure to words from the novella, or as a Free Voluntary Reading (FVR) option for all students, independent from Rūfus et arma ātra.*

**Quīntus et nox horrifica (52 words)**

*Monsters and ghosts...could they be real?! Is YOUR house haunted? Have YOU ever seen a ghost? Quintus is home alone when things start to go bump in the night in this scary novella. It works well with any Roman House unit, and would be a quick read for anyone interested in Pliny's ghost story.*

**Pīsō et Syra et pōtiōnēs mysticae (163 cognates, 7 other words)**

*Piso can't seem to write any poetry. He's distracted, and can't sleep. What's going on?! Is he sick?! Is it anxiety?! On Syra's advice, Piso seeks mystical remedies that have very—different—effects. Can he persevere?*

**Drūsilla et convīvium magārum (58 words)**

*Drusilla lives next to Piso. Like many Romans, she likes to eat, especially peacocks! As the Roman army returns, she awaits a big dinner party celebrating the return of her father, Julius. One day, however, she sees a suspicious figure give something to her brother. Who was it? Is her brother in danger? Is she in danger?*

## Agrippīna: māter fortis (65 words)

*Agrippīna is the mother of Rūfus and Pīsō. She wears dresses and prepares dinner like other Roman mothers, but she has a secret—she is strong, likes wearing armor, and can fight just like her husband! Can she keep this secret from her family and friends?*

## Līvia: māter ēloquens (44-86 words)

*Livia is the mother of Drusilla and Sextus. She wears dresses and prepares dinner like other Roman mothers, but she has a secret—she is well-spoken, likes wearing togas, and practices public speaking just like her brother, Gaius! Can she keep this secret from her family and friends? Livia: mater eloquens includes 3 versions under one cover. The first level, (Alpha), is simpler than Agrippina: mater fortis; the second level, (Beta) is the same level, and the third, (Gamma-Delta) is more complex.*

## trēs amīcī et mōnstrum saevum (87 words)

*What became of the quest that Quintus' mother entrusted to Sextus and Syra in Drūsilla et convīvium magārum? Quintus finds himself alone in a dark wood (or so he thinks). Divine intervention is needed to keep Quintus safe, but can the gods overcome an ancient evil spurred on by Juno's wrath? How can Quintus' friends help?*

## fragmenta Pīsōnis (96 words)

*This collection of poetry is inspired by scenes and characters from the Pisoverse, and features 50 new lines of poetry in dactylic hexameter, hendecyllables, and scazon (i.e. limping iambics)!* fragmenta Pīsōnis *can be used as a transition to the Piso Ille Poetulus novella, or as additional reading for students comfortable with poetry having read the novella already.*

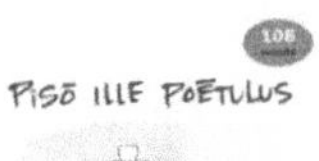

## Pīsō Ille Poētulus (108 words)

*Piso is a Roman boy who wants to be a great poet like Virgil. His family, however, wants him to be a soldier like his father. Can Piso convince his family that poetry is a worthwhile profession? Features 22 original, new lines of dactylic hexameter.*

## Pīsō: Tiered Versions (68-138 words)

*This novella combines features of Livia: mater eloquens with the tiered versions of the Piso Ille Poetulus story taken from its Teacher's Guide and Student Workbook. There are 4 different levels under one cover, which readers choose, switching between them at any time (e.g. moving up a level for a challenge, or down a level for faster reading and/or higher confidence). Piso: Tiered Versions could be used as scaffolding for reading the original novella, Piso Ille Poetulus. Alternatively, it could be read independently as a Free Voluntary Reading (FVR) option, leaving it up to the learner which level to read.*

**Tiberius et Gallisēna ultima (155 words)**

*Tiberius is on the run. Fleeing from an attacking Germanic tribe, the soldier finds himself separated from the Roman army. Trying to escape Gaul, he gets help from an unexpected source—a magical druid priestess (a "Gaul" in his language, "Celt" in hers). With her help, can Tiberius survive the punishing landscape of Gaul with the Germanic tribe in pursuit, and make his way home to see Rufus, Piso, and Agrippina once again?*

## ***...and more!***

*See magisterp.com for the latest:*

*teacher's materials*
*other books*
*audio*